M000073481

Madame Poipoi
Monsieur Henri
Gino Marto
Rémi Lepoivre
Adrienne Dubouchon
Mélanie Lano

Tom-Tom et Nana

Les deux terreurs

Scénario : Jacqueline Cohen. Dessins : Bernadette Després.

Huitième édition
© Bayard Editions / J'aime Lire, 1988
ISBN 2.227.73111-7
Dépôt Légal : avril 1998
Imprimé en France par Pollina, 85400 Luçon - n° 76751
Droits de reproduction et de traduction réservés pour tous pays

Du cinéma pour super-nana

PATHÉ II - CINÉ

la Vengeance de Kamo Kato

AND FILM D'ACTION

Role principal : RIKIKI KOSSU

On ne peut pas rater ce film !

Le Bon
M'man! Je peux aller au cinéma avec Rémi?
D'accord! mais tu emmènes Nana!
Oh!... Oui!...
Non alors! D'abord Rémi, il veut qu'on y aille rien que tous les deux...
Ouin!
... Elle est casse-pieds à la fin!
Menteur! c'est pas vrai! Bouh! Hou!...
Oh! le monstre! il fait pleurer sa soeur!
... Et cette fille, au cinéma, elle ne comprend jamais rien; il faut tout lui expliquer! On ne peut pas regarder le film tranquillement!...
Bouh! hou...
22-2

C'est pas gentil !
Il l'a traitée de casse-pieds, vous vous rendez compte...
Mais oui, mon petit ange de douceur...
Sniff !
...tu iras au cinéma !
Calme-toi, ma petite fleur.
Sniff...
Tiens, voilà pour vos billets !
...Et sache que ta petite sœur est très intelligente ! Elle comprend tout, et même si elle ne comprend pas, elle sera très sage, hein, ma Nana ?
Oui, maman...
22-3

Tu... tu as amené la gamine?
Ben, c'est pas de ma faute... on m'a obligé!
Mais, j'ai une idée, écoute!
Chchch... Blabla bla chch...
AU CINÉMA PATHÉ I
AU CINÉMA PATHÉ II
Tu es sûre que tu veux aller au cinéma?
Ben oui, tiens! Pardi!
Doudou mon gentil Kangourou
La Vengeance de Kamo Kato le fils du dragon jaune
UN GRAND FILM D'ACTION
Parce que, tu sais, on va voir un film qui fait drôlement peur!
22-4

...celui-là!
La Veng
de Kamo
le fils des dra
jaune
Avec des affreux méchants qui tuent...
...qui se battent avec de grands bâtons!
Quels voyous!
Evidemment, avec ce genre de films!
La Veng
de Kamo
le fils du dra
jaune
...qui s'étranglent comme ça!
...qui crient comme ça!
Arh-râ-â-â-â-ârh!
Alors hein? Tu ne veux pas voir un film comme ça, toi?
Oh! Si! Si! Si! Si!
Vite, prenons les billets!
22.5

Au premier rang, madame! je veux être au premier rang!
Tu vas voir, je te parie qu'elle va vouloir sortir au bout de deux minutes!
La Vengeance
Monsieur Tong! Kamo Kato s'est évadé de la prison centrale...
T'en fais pas, Niang Po! Il subira le même sort que son père... Hin! Hin! Hin!
22-6

Au secours!
Maman!
Taisez-vous, les gosses!
Le voici, tire! tire! et ne le rate pas, cette fois!
Tacataca-taca-tac!
J'ai peur!
Pipi!
Taisez-vous donc!
Triple andouille! Tu as tué vingt personnes et, lui, il court encore!
C'est fini?
C'est fini, la bagarre?
Tactac-tac-tac!...
Hou!
Ça recommence!
Sortez-les!
Qu'est-ce que c'est que ce scandale, vous deux?
Allez! Dehors! Laissez les gens regarder le film tranquillement!
22-7

Sniff...
C'était minable, de toute façon
Je ne veux même plus y penser.
Sniff...
Moi non plus! Sniff...
Raconte-moi quelque chose, sniff, pour m'aider à oublier...
Ecoute, je vais te raconter l'autre film,... je l'ai vu hier...
Alors, tu sais, un jour il y avait un petit Kangourou... qui s'appelait Doudou. Sa maman l'aimait beaucoup, et son papa aussi, et lui, il était drôlement gentil...
Il avait un tas d'amis... surtout un petit lapin...
Il s'amusait bien avec ce petit lapin... qui s'appelait Pinpin...
C'est vrai?
Oui, c'est vrai!... et ils étaient mignons, tous les deux... ils se promenaient la patte dans la patte...
22-8

quand soudain!...
Kaï-Kaï-A-A-A-ïïïï
Oh?
Ah!...
Le film est fini! C'était super-super-sup de sup!
Ben, ne faites pas cette tête-là... je vais vous raconter la fin...
Kamo-Kato a pris son grand couteau!
Non! Nooon!
22-9

quelques instants plus tard, à la Bonne Fourchette...
Et alors?
Et alors?
... Et alors, Kamo Kato s'est jeté sur les méchants en poussant le grand cri qui tue. Ils sont tous tombés comme des mouches du haut des cent cinquante étages.
Oh! là! là!! Ce n'est plus Nana, c'est Super Nana!
En tout cas, la prochaine fois, quand j'irai au cinéma, je n'emmènerai plus ces idiots-là!
FIN
22-10

La grande enquête

Mais où va-t-elle?
Qu'est-ce qui lui prend?
Hé!

Chéri de mon coeur… yé-yé! Tu es mon ra… dia… teur… yé-yé!
Et quand tu t'en vas… wah! moi… je meurs de froid… wah!
Wa-a-aa-a-ah! Chauffe… chauffe… chauffe… chauffe-moi!
Adieu je pars!
Comment vous me trouvez?
Terrible!
On dirait Dalida!
Pff! je suis beaucoup mieux que ça!
Hé! on peut venir avec toi?
Pas question, les moucherons!
Tu es mon ra ♫ mon ra, mon radiateur!
CLAC!
Les moucherons! Non mais! Pour qui elle se prend celle-là?

Puisqu'on est des moucherons, on va moucheronner!
Je suis le détective, tu es ma secrétaire! Hein?
Okay, boss!
Stop! la voilà!
Elle est avec un garçon!
Ah! qu'est-ce qu'ils font?
Je ne vois rien!
Il faut s'approcher!
Ils sont en train de s'embrasser dans l'oreille!
Mais qu'est-ce qu'il y a dans...
... ce baiser?
AAAH! quelle horreur!
Adieu je pars
38-3

Ça ne va pas la tête !
On n'a pas idée de faire peur aux gens comme ça !
A la maison, les moucherons !
BRRRMMM
N'empêche qu'on a vu le garçon l'embrasser !
Ouais !
Dis-donc ! alors, elle va avoir un bébé ...
... dans l'oreille !
Mais non ! les bébés, on les fait par le nombril !
Tu es fou ! C'est pas possible ! y a pas de trou !
C'est affreux ! on ne sait pas comment se font les bébés !
J'ai une idée ! on n'a qu'à essayer de se rappeler comment on a été faits, nous, par nos parents !

3B-4

Concentre-toi! Il faut beaucoup réfléchir!
Il faut remonter le plus loin possible dans nos souvenirs!
Ça marche... Je me vois l'année dernière...
... l'avant-dernière...
l'avant-avant-dernière!
Ça y est, je me vois à trois ans!..
...moi aussi!
Aah! voilà! je fais pipi dans ma couche-culotte!
Allez vite vous changer! Faut pas rester mouillés!
C'est bête, je commençais à me voir dans le ventre de maman!
Oui! mais avant, avant ça! Hein?
Tiens! on n'a qu'à demander à Madame Poipoi!
38-5

Dites! est-ce que vous savez comment on fait les enfants?
Euh... ben... je ne sais pas si je dois vous le dire! Oh! mais si! après tout! vous êtes grands, vous pouvez comprendre... Alors! voilà! c'est une belle histoire!...
Pour faire les enfants: on va dans un jardin merveilleux avec de l'herbe tout en plumes et des ruisseaux de sirop entre les collines! on trouve un pommier d'amour, et on croque un fruit délicieux, et on avale le pépin, et...
...et alors?
...et alors?
Ben... alors on va chez le médecin!
Ah bon! merci pour le renseignement!
Complètement toquée, la pauvre!
Elle nous a raconté une histoire d'appendicite!
Faut demander ailleurs!
38-6

Dites! vous savez comment on fait les enfants?
Hein? bien sûr, je vais vous montrer...
... tout de suite!
Voilà ma trompe!
Et vous voyez mes grandes oreilles!
Et ça, c'est ma queue! accroche la à ma ceinture!
Alors vous voyez que je sais faire l'éléphant!
Oui... merci, Monsieur Henri!
J'ai une autre solution: allons voir à la librairie!
38-7

Il y a des livres sur la question!
Ben... on va les acheter!
J'ose pas y aller!
Laisse-moi faire!
Que désirez-vous, mademoiselle?
Un livre qui dit comment on fait des enfants!
Aaah! un livre sur la petite graine du papa, et puis la petite graine de la maman... Eh bien cherche petite!
Graines... graines...
COMMENT PLANTER DES GRAINES
Je les ai tous pris!
Montre!
Mais c'est des livres de jardinage! tu es complètement idiote!

Tant pis! on va demander à maman!
On aurait pu y penser avant!
Sniff!
Maman! on veut savoir comment se font les bébés!
Vous tombez à pic! il y en a justement trois à garder!
Youpi! Tom-Tom! Nana!
Zut! Arthur... et ses cousines!
J'en ai pour dix minutes! Je répondrai à toutes vos questions, après!
Prête-moi ton chapeau! Hi! Hi!
Ouin!
PONG!

Couleurs M. Laczewny

La nuit des molmoks

On a tout bien fait! Aaah! je sens que je vais passer une bonne nuit!

Reste à dire "bonchoir" aux parents!

Bonne...
... nuit ...
Oh!
Mais, qu'est-ce que vous faites?
Vous n'êtes pas au lit?
Ben...
...euh! tu vois...
Ah! j'ai tout compris! Vous sortez! Vous allez vous amuser!
Mais non! nous sommes invités chez les Duboyau. Et on ne s'amuse pas chez eux! On mange ... on joue aux cartes...
Pas du tout! on ne joue pas aux cartes! On parle, on discute de boulot!
Ah, ah! c'est pas rigolo chez les Duboyau!
26-2

Ben alors! pourquoi vous y allez?
Parce qu'on a envie, et puis, ça suffit!
Je suis prête, on y va!
Elle aussi?
oui!
Vous nous laissez tout seuls?
Vous êtes bien assez grands!
Et, s'il y a le feu? Si des brigands attaquent?
Si des crocodiles nous mangent!
Taratata!...
Et si les molmoks arrivent?
Bonne nuit, les chéris!
26-3

Sidérah le démoniaque
Dis, qu'est-ce que c'est les molmoks?
Ah! tu ne connais pas?
Je vais t'expliquer!
Je suis un molmok! Je viens de la planète Bêta pour envahir la terre...
... pour semer la panique et l'épouvante!
Ha! Ha! Ha!
26-4

Ah! petite terrienne! tu n'échapperas pas à mon tentacule électronique!...
Non! Non!
Pas ça!
Je vais te bombarder à l'uranium! Je vais faire de toi une molmok en fer mou!
Non! Non! Pitié!
Eh bien! puisque tu résistes, j'utiliserai mon canon à rayon laser intradermique!
Clic!
POK!
Aaaah!
Aaaah!
Ecoute, qu'est-ce que c'est?
zouiiiiiing- inguiiiiiiii...
zzzzzzzzong...
26-5

Des molmoks!
Y'en a partout! Regarde!
Glong-gada-glong!
Zoooooooooooooo.....
ZZZZZZZZZZZZ...
26-6

clouic!
Regarde Tom-Tom ! y'a plus de molmoks!
zouiiiing!
Et le bruit ! là !...
zouiiing! Blom!
...Chers auditeurs, ainsi s'achève notre concert de musique futuriste... L'orchestre était dirigé par le grand Albert Moldok...
Tu as entendu? Moldok... Molmok! C'est plus grave que ce que je croyais! Ils ont déjà envahi la maison de la radio!
26-7

Il ne s'agit plus de rigoler, maintenant !
Organisons notre défense ! Les molmoks ne nous auront jamais !
Prépare les munitions !
J'ai déjà un bon tas de boules de canon !
Moi, je...
...construis...
...un piège...
... à molmoks...
Ah !
Ils vont voir ça !
shuiiitt !! shuiiitt !!
26-8

Et à minuit...
Tu n'entends rien?
Si!! on vient... Ce sont eux!
Cracc!
Chutt!
Chut! ils dorment, sans doute...
C'est ce qu'on va voir!
Crrrrr
26-9

Braoum!!
Projection!
Elimination!
Oh!
Aïe
ouille!
BANG!
Aaaah!
Poufff!
Uranium!
Barbarium!
Oh! les affreux jojos!
Mince, alors!
les parents!
Sauve qui peut! ils sont plus terribles que les molmoks!
FIN
26-10

Une année à la poubelle

Ouf! elle est finie, cette année!
C'est pas malheureux!
1978
C'était une année affreuse!
par notre faute...
1978
... car nous avons été affreux nous-mêmes!
Nous avons mangé sans nous laver les mains!
Nous nous sommes donné des coups de pied...
... et tiré la langue!
Nous avons abîmé toutes nos affaires...
... et déchiré nos livres...
... cassé nos jouets...
... sali nos habits!
24-2

Et le pire, nous n'avons jamais rangé notre chambre!
C'est un vrai dépotoir!
Mais c'est fini, fini, fini!
fini!
Nous serons propres, soigneux, ordonnés!
Nous serons aussi neufs que la nouvelle année!
24-3

?
On change, on range, que personne ne nous dérange!
Balayons le passé!
Je rêve, ou quoi?
Repartons à zéro.
A la poubelle!
JEU DES COULEU
Soyons sans pitié!
JEU DES COULEURS
24-4

Il faut faire place au neuf !
JEU DES COULEURS
C'est la vie !
PLOUF !
?
Non, je ne me...
...laisserai pas...
...attendrir !
Moi non plus !
Nous ne sommes plus des bébés !
24-5

Et voilà le résultat de ce travail acharné.
1979
Soyons ordonnés c'est bon pour la santé!
Oh!
lit de Tom-Tom
lampe
vase
fleurs
secrets de Tom-Tom
secrets de Nana
lit de Nana
lampe
réveil
poubelle
place de Tom-Tom
Crayons de Tom-Tom
place de Nana
Crayons de Nana

Ah! bravo!
Prendre une chose et la remettre à sa place.
étagère des livres
RAILS
ANIMAUX
étagère des jouets
chaussettes de Nana
chaussettes de Tom-Tom
Vive la propreté
Félicitations!
peigne
brosse
brosse à dents de Tom-Tom
brosse à dents de Nana
savon
Vous commencez l'année en beauté!
Maintenant, on va se ranger dans nos petits lits!
Je rêve ou quoi?
Bonne nuit!
Ça alors!
Je n'en reviens pas!
Comme ils ont changé!
24-7

Mais dans une chambre propre, on peut faire de terribles cauchemars...
Les monstres! ils auraient pu me recoudre!..
... me mettre une jambe de bois!
Je les ai fait rire, et voilà comment ils me remercient!
Je ne demandais qu'une petite place dans leur cœur!
Tic-tac! le mien bat encore!
J'ai froid!
Ils m'ont laissé des pages blanches!
ATCHOUM!
Nous adorions leurs petits petons!
fleurs
vase
lampe
secrets de Tom-Tom
secrets de Nana
24-8

Dire qu'à six heures du matin, la grosse bête viendra nous manger!...
?
?
?
Non! Non! Au secours! Tom-Tom et Nana!
BOUM!
Où suis-je?
Ce n'est plus notre chambre!
Où sont nos affaires?
secrets de Tom-Tom
Ça y est, je me souviens!
secrets de Tom-Tom
Je vais avec toi!
24-9

Le lendemain matin :
Les poubelles ont disparu! elles ne sont plus dans la rue!
Ecoute!...
gling!
Tic-Tac!
PATATRAC!
Bong!
?
?
C'était trop beau pour être vrai!
HO!
Ne vous inquiétez pas, on rangera tout bien ... l'an prochain!
FIN
24.10

Bon appétit Mr Rechignou

C'est l'heure de pointe à la Bonne Fourchette...
Et une croquette aux herbes, une !
Piste ! S'il vous plaît !
Pas moyen de se faire servir.
garçon !
Miam !
Crunch...
garçon !
garçon !
Oh !
Ça fait une heure que j'appelle !
Hein ? Quoi ?
21-2

Le menu ! Vite, je suis pressé.
Euh... Steak-frites. Canardeau sauce poupette... Croquettes aux herbes exO... tiques. ... Soufflé aux figues de Barbarie...
Bof !
Saumon... poché, poêlé à la retournette... Brochettes d'oeufs de cailles et de girolles des bois... Crème renversée à l'anglaise.
Puff ! C'est maigre, tout ça !
Grillades de cuisses de tortues, façon mexi... caine... Crêpe farcie... flambée... maison. Oeuf de poule à la sauce-poisson...
C'est tout ?
Non ! Exceptionnellement aujourd'hui, il y a du yaourt nature au sucre !
Bon...
Un steak-frites ! Et que ça saute ! Je suis pressé !
?
21-3

Soigne la présentation, hein!
Tu peux compter sur moi!
Une fleur par ci...
Une feuille par là...
Ça va plaire à mon client, ça!
Et un steak-frites, un!
Mais...
... c'est froid! Vous voulez me geler l'estomac!
21.4

A réchauffer, c'est trop froid!
Voilà!
C'est trop tiède!
C'est trop cuit!
Si cette fois, ça ne va pas, j'abandonne!
Il y a un cheveu dans les frites!
Paff!
ding!
dong!
ding!
Grrrrrr!
21-5

Hum... Cette fois, ça peut aller...
Ouf !
Un petit air me fera le plus grand bien !
♫ ♪ ♪ Ça plane pour moi ♪ ♩
Tcha bada bada !
Hey ! Les Plastik-Pistols !
C'est excellent pour digérer !
Hey ! Hey ! Pogo !
Pogo !
Ça plane pour moi !
Silence ! Bande de sauvages...
21-6

Garçon! Mon dessert, immédiatement!
Hey!
Tchabada!
Laissez passer la crème renversée!
Hey!
Hey!
Pogo!
Ziou ou ou...
... ou-ou-ou-ou-ou-ou-ou...
ou-ou...
SPLUNG!
Misère de nous! C'est la faute au Pogo!
Aaaah!
GLONG!
oh-lo lo!
Oh... Une si bonne crème, renversée!
21-7

C'est un scandale !
Je ne remettrai plus jamais les pieds ici !
Jamais !
Tiens... Tiens... Ce brave Rechignou !
oh?
Vous prendrez bien un petit quelque chose avec moi !
Avec... heu... plaisir... Monsieur le directeur.
21-8

Alors comme ça, vous êtes aussi client de la Bonne Fourchette?
Heu... Oui... Monsieur le directeur.
Moi, j'aime ce restaurant!!
Ah! Mmm... Ici, la cuisine est ad-mi-rable!
Oui, monsieur le directeur.
Et le service est im-pec-cable!
Oui... Heu... Monsieur le directeur.
Tom-Tom, mon chou, du champagne s'il te plaît!
Oh... oh hisse... oh...
Non! Non!
21-9

O-oh...
ouf!
Hi...
PAF!
glou glou!
Ah-Ah-Ah! Ce que j'adore ici, c'est qu'on a toujours des surprises. Pas vrai, Monsieur Rechignou?
gloups-hi-hi... Heu... oui... Monsieur le directeur...
FIN
21.10

La dent dure

Hin - Hin - hin - hin - Hin - hin - Hin - hin - hin -
Hin-Hin-hin-hin-
D'où vient ce bruit?
Tiens, tiens, je crois savoir.
Ne bougez pas, Madame Poipoi, on m'appelle en urgence!!
?
hin - hin - Hin -
Ah!
hin-
Oh!
-hin-
Qu'est-ce que tu as?
-hin-hin-hin!
32-2

C'est ma dent, j'essaye de la faire tomber, après je la mettrai tout de suite sous mon oreiller, pour le cadeau... la petite souris, tu sais?
Mais, je peux peut-être t'aider!
J'adore cueillir les petites dents de lait!
Je suis le grand docteur Dentifrousse!
Venez, chère madame, dans mon cabinet où la joie pousse!
Au secours, j'ai un torticolis!
Ça, c'est du Tom-Tom tout craché!
Ouf!
32-3

Installez-vous...
...confortablement, madame !
Décontractez-vous !
Oui, docteur !
Pendant ce temps, je me prépare !
Me voilà, avec une bonne corde !
Hein? pour quoi faire?
C'est pour l'anesthésie, je vais vous attacher !
Comme ça, vous ne bougerez pas, chère madame !
Non! je ne veux pas!
32-4

Bon... on va essayer une autre méthode !

Nana, fais "AAh", et tends bien les deux bras !
AAAAAh !

Parfait ! là, tu ne bougeras sûrement pas : c'est le vase préféré de maman !
AAAAh !

Et voilà le vase préféré de papa ! Ne les lâche pas !
AAAAAh !

Très bien ! je tiens la dent !
AAAAh !
OUH !

Ah !
Oh !
32-5

Oh! le vase que m'avait offert ma soeur Roberte!
Le vase de tante Rosine!
Ben... beuh... c'est à cause de la dent de Nana qui bouge...
Une dent qui bouge?
Vite, Tom-Tom, va me chercher du fil très solide!
Voilà, Monsieur Henri!
32-6

C'est un bon système d'autrefois!
On fait un petit noeud-noeud autour de la quenotte!
Et puis on tire, tout doucement...
... gentiment.
Aïe!
Moi, je vais en faire un remède explosif! solution radicale!
Regarde, Nana! je fais comme toi!
Ça ne fait pas mal du tout!
Tic! Tic!
32-7

PP PCHOUFF!
cling!
Ciel!
Dzing!
PAFF!
PIFF!
oh!
Incroyable!
Chnouff! mon dentier!
Vvrrritt
vroor!
32-B

Warf! warf!
Vrooom...
Warf!
Jules!
Chnouff! chnouff!
BANG
BING!
Clac!
32-9

Ça y est ! j'ai tout compris !
Ouf ! j'ai sauvé mes frites !
Mon Jujules, où es-tu ?
Cloc !
C'était pas la bonne dent !
La bonne dent, la voilà !
Et maintenant, j'attends mon cadeau !
FIN
32-10

Le robot cuicru !

AVEC CUICRU

Retrouvez les joies du repas familial

Toto aime tata

pa tata!

tu est un cochon

cé suit qui lécri qui lé

Menu du jour
Papa!
Ecoute ça!
♫! Il cuit le cru! Puis il le sert! Ô qui l'eût cru!
Boff!
♪ ♩...
Papa!
Plus rien à faire!...
Viens voir ça!
... avec Cuicru, cuisinez assis, couché, ou les jambes en l'air!
25-2

Et regarde encore ça !
Le Bon Français
Hummm...
ROBOT CUICRU
Voulez-vous du cru ? Voulez-vous du cuit ? Vous en aurez grâce à CUICRU
Il te faut ce robot, papa.
Je me méfie des machines, tu le sais !
Oh !
Mais mon pauvre papapoupounéné, toi qui es si fatigué, ce robot-là travaillera à ta place !
Il a raison, le petit !
Il faut être moderne, Monsieur Dubouchon !
Et si vous voulez garder votre santé !...
Bon ! d'accord !
Allô ! la maison Cuicru ?

Et cinq minutes plus tard :
Coucou ! grâce à Cuicru, plus rien à faire !...
ROBOT
CUICRU
ROBOT
FRAGILE
... cuisinez assis, couché ...
ROBOT
CUICRU
TRÈS FRAGILE
PIÈCE n°2
Attention
CUICRU
... ou les pieds en l'air !
Notre robot est tout simple !...
PLAN DE MONTAGE

Il commence par ce petit moteur électrique. on y ajoute...
...l'épluche-légumes à turbine grattante!...
... le batteur à battoirs rotatifs!...
... le récipient pulvérisateur à moulinets ultra-rapides!...
...enfin les entonnoirs à matières crues!...
... le bloc cuisson!...
...et pour finir, la partie service-maison!
Magnifique!...
Ha!
Oh!
Et maintenant, tous à table! le robot Cuicru va vous servir!
Bravo!
25-5

Voici un menu simple et sain : bifteck, purée, camembert, compote, et bien sûr café !
... Je l'introduis dans la machine.
Mettez les ingrédients dans les entonnoirs !
RRRON! RRRON!
Gratchop!
Glouj-glouj!
Gratchop!
ZZZZZZZZZZZZ
Tous en rang!
25-6

A mon signal, servez-vous!
Trrrrrrittt...!
ZZZZZZZZ!
PLOFF!
PLOF!
N'est-ce pas merveilleux?
Oui, mais ça ne va pas vite!
Mais la maison Cuicru a tout prévu!
Service lent
Service rapide
Service lent
Service rapide
grrrr!
Croch!
Vite!
Plus vite! RRRRRR!
Et que ça saute!
Vrou-ou-m-m!
BBRRRRR!
?
?
?
?
25-7

VVRRROUM!!!!!
BAOUM!!
Maman, j'ai peur!
Au secours!
Oh!
PAFF!
PATATATATA TRAC!!
Blubb! Blubb! blubb!
glbblub!
CLACC! CLACC!
PLOSH!
sh. sh. sh. sh. sh. sh!
PAFF!
Ouille!
Hé?
Plof! Plof! Plof! Plof!...
25-8

Pas de panique! Ce n'est rien!
Il suffit de débrancher!
Pffft! pffft! pffft! pffft! pffft!
Ouf!
Ouf!
Une simple panne de moteur!
Un petit ennui avec la pompe à purée!
Mais la maison Cuicui a tout prévu!
Allo!

Trrrrrriiiiittt!
ROBOT CUICRU
MATERIEL DE SE
Matériel de secours
ROBOT CUICRU
MATÉRIEL DE SECOURS
ROBOT CU
Matériel de secours
Matériel de Secours
ROBOT CUICRU
Hein! Qu'est-ce que je vous avais dit? Avec Cuicru, plus rien à faire! Cuisinez assis, couché, ou les jambes en l'air!! Ha! Ha!
Mmmm!
Ah! C'est parfait, parfait!
FIN
25-10

Bon Noël quand même

Y a personne !

Ici, on sera tranquille !

Qu'est-ce que vous mijotez?
Chut, on prépare un cadeau de Noël!
C'est un secret!
POT DE COLLE
IDÉES GÉNIALES
TOUT EN PAPIER
LE JOYEUX BRICOLEUR
Vous allez fabriquer encore des horreurs, du genre collier en spaghetti, ou cendrier en pâte à papier!
Non, ma chère! nous allons fabriquer quelque chose de grandiose pour nos parents adorés!
35-2

En tout cas, ça ne sera pas plus beau que mon cadeau à moi !
Je l'ai commandé aux "Galeries Maxi", il va être livré ce soir...
... et je ne vous dirai pas ce que c'est, **na** !
Ce qu'elle est bête ! notre cadeau à nous ne va rien coûter, et en plus il sera fabriqué avec amour !
Au travail !

Le Lampadaire d'art
Pour le réaliser, il faut :
8 pots de yaourt
12 capsules de bouteille
6 rouleaux en carton pour papier hygiénique
2 boîtes de lait en carton
4 boîtes à oeufs
1 vieille roue de landau
1 bouteille en plastique
1 couvercle de poubelle
1 morceau de moquette
Et bien entendu /// scie /// colle /// ruban adhésif /// ficelle /// peinture /// et un vieux fauteuil //// à bras (genre) Louis XVI de préférence)
Ça m'a l'air tout simple !
Viens m'aider à rassembler le matériel !
Vite ! il n'y a personne !
Les parents vont...
... en tomber sur le derrière ! ... Pfff !
35-4

Monte déjà tout ça là-haut, je m'occupe du reste!
Ouf! j'ai la roue de landau et le fauteuil!
Il ne manque plus que la moquette!
Tant pis,...
... il faut sacrifier la moquette de notre chambre!

Ça prend forme!
Tu as fini?
J'en suis au huitième yaourt!
BANG!
Ne regardez pas, c'est une surprise!
La réserve de papier à cabinet!
La roue de mon landau!
Mon Dieu!
Le petit fauteuil de ma chambre!
35.6

Vous allez nettoyer tout ça!... et jeter cette horreur!...
... me rendre la roue de landau!...
... enrouler le papier!
... recoller mon fauteuil!
Ouin!
C'est dégoûtant!
Dire qu'on leur préparait un cadeau... Tu vas voir, ils vont le regretter!
35-7

Adieu!
Tout est rangé, et vous ne nous reverrez jamais!
Mauvais Noël!
CLAC!
Ils feront la fête sans nous!
C'est bien fait pour eux!
Ils ne méritent pas des enfants comme nous!
Ils sont sûrement très malheureux!
Oui, et ils n'auront pas de cadeau... nous non plus...
35-8

Hé! qu'est-ce que c'est que ça?
A LA BONNE FOURC
CAFÉ - BAR - RESTAURAN
BBRRRFFRRR
A LA BONNE
BAR
GALERIES
MAXI
C'est le cadeau de Marie-Lou!
J'ai une idée!
Restaurant la Bonne Fourchette 3 rue de la crème à Chantilly-sur-plat
35-9

Et voilà le cadeau !
Restaurant
La Bonne Fourchette
3 rue de la crème
à Chantilly
Eh bien quoi? Vous devriez être contents !
Sniff... nos enfants ont disparu...
...juste le soir de Noël !
Sniff !...
BAOUM !
Hein?
Mais !
Oh! miracle !
ce n'est pas le modèle que j'ai commandé !
Dites, j'ai trouvé ce truc au fond du camion, c'est pas à vous par hasard?
FIN

Arthur, mon doux bébé.

C'est Mardi gras! on se déguise, on s'amuse...
Vieille chouette déplumée, rends-moi mon épée, ou je te taille le nez avec mon taille-crayon!
Non! je ne la rendrai pas! C'est ma baguette magique!
AU SECOURS!
AAAAH! rends moi ça!
Maman! c'est la fin du monde!
AAAH! jamais de la vie!
34.2

Arrêtez-les! Arrêtez-les!
Ce sont des dangers publics!
SCHPAK!
Ouin! ma baguette magique!
Qu'est-ce que c'est queça!
Mais c'est ma chemise de nuit!
Ben oui, quoi! on s'est déguisé en fée, et en prince charmant!
Vous êtes les monstres les plus monstrueux que j'aie jamais vus!
Ciel! en voilà un autre!
WRAAAOU!
37-3

Carburo-poing ! Z'ai faim ! WRAAAAAAOU !
Mais... qui es-tu ?
ARTHUUUR ! mon poussin rose !
Pourquoi es-tu entré ? Tu veux manger au restaurant ?
WRAAAAAOU !
37-4

Tu promets de ne pas jeter ton assiette à la figure de papa, comme l'autre fois?
WEUH!
Et de ne pas lancer ta fourchette dans l'oeil de maman, comme hier?
WEUH!
Et de ne pas renverser l'eau dans tous les plats?
WEUH!
WEUH!
C'est bien, mon poussin bleu! Alors nous mangeons ici tous les trois!
WEUH!
Je vais t'aider, mon poussin noir!
WRAAAOU!
BING!
N'y touchez pas!
Vous allez lui faire mal!
37-5

Voilà, c'est comme ça qu'Arthur a l'habitude de manger!
Hi! hi! c'est un enfant très original!
Est-ce qu'il va manger avec son masque?
Mais non, il va enlever son masque, pas vrai mon bichounet?
WRAAAAOU!
NON!
BING!
Hachez le poulet très fin, écrasez les frites en purée, et donnez-lui une paille, ce n'est pas compliqué!
...Il lui en faut si peu pour le contenter, hein, mon joli bébé?
Ben dis donc, j'ai encore jamais vu ça!
BZZZZZZZZZ
Slurp...!
37-6

WRAAAAOU!
PANG!
Carburo-poing!
FFFPLOK!
Ça ne peut pas durer comme ça!
FFPLOK!
le pauvre chéri, il est énervé... c'est parce qu'il est très fatigué!...
FPLOK!
...Vous n'avez pas un petit endroit pour le coucher?
Euh...
Occupez-vous de ça, les enfants! Essayez de l'endormir sur le canapé là-haut!
?
WRAAAAOU!
Je veux dormir avec vous!
37-7

Vous avez vu comme il est gentil!...
...et comme il est allé se coucher sans protester!
BOUM! PAF! BOUM! PAF!
BOUM!...PAFF!...
BOUM!...PAF!...BOUM!...
PAF!
Hein? qu'est-ce que vous faites?
37-B

Il faut ça pour l'endormir!
BOUM!
Ne vous arrêtez pas! Je veux un Boum! et un Paf! un Boum! et un Paf! sinon je ne dormirai pas!
PAF!
BOUM!... PAF!... BOUM!...
C'est pas vrai! j'ai jamais vu ça!
PAF!.....
BOUM!.....
Eh bien! nous avons fait un excellent repas!
Allons chercher Arthur, maintenant!
37-9

Couleurs M. Laczerny

Retrouve tes héros dans le CD-ROM

Des jeux inventifs et un atelier de création dans l'univers plein d'humour et de tendresse des héros favoris des enfants de 7 à 12 ans.

CD-ROM MAC/PC

BAYARD PRESSE

Ubi Soft

N° éditeur : 4464

© Bayard Éditions / J'aime Lire

Les aventures de Tom-Tom Dubouchon sont publiées chaque mois dans J'aime Lire le journal pour aimer lire.

J'aime Lire, 3 rue Bayard - 75008 - Paris.

Cette collection est une réalisation de Bayard Editions.

Direction de collection : Anne-Marie de Besombes.